Traduit de l'américain par Sylvain Poslaniec
© 1992, l'école des loisirs, Paris, pour l'édition en langue française
© 1981, Byron Barton, pour les illustrations et le texte original
Titre de l'édition originale : « Building a House » (Greenwillow Books, New York)
Loi numéro 49 956 du 16 juillet 1949 sur les publications
destinées à la jeunesse : septembre 1982
Dépôt légal : avril 2000
Imprimé en France par Aubin Imprimeurs à Poitiers

Byron Barton

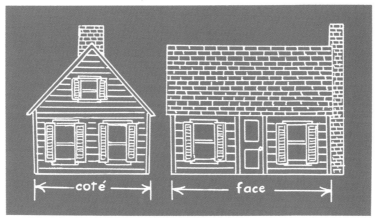

Construire
une maison

l'école des loisirs

11, rue de Sèvres, Paris 6e

Sur une colline verte

Un bulldozer creuse un grand trou.

Des ouvriers font un coffrage en bois.

Une bétonneuse y verse du mortier.

Les maçons montent un petit mur en parpaings.

Les menuisiers posent le plancher.

Ils dressent les cloisons.

Ils construisent la charpente…

et couvrent le toit.

Un maçon construit une cheminée.

Le plombier pose la tuyauterie.

L'électricien installe l'éclairage.

Les menuisiers mettent en place portes et fenêtres.

Les peintres peignent l'intérieur et l'extérieur.

Les ouvriers s'en vont.

La maison est terminée.

La famille emménage.